J'app
à
avec Sa

GW00420476

Sami rêve

Texte
Isabelle Albertin

Illustrations
Thérèse Bonté

hachette
ÉDUCATION

Avec Sami et Julie, lire est un plaisir !

Avant de lire l'histoire

- Parlez ensemble du titre et de l'illustration en couverture, afin de préparer la compréhension globale de l'histoire.
- Vous pouvez, dans un premier temps, lire l'histoire en entier à votre enfant, pour qu'ensuite il la lise seul.
- Si besoin, proposez les activités de préparation à la lecture aux pages 4 et 5. Elles permettront de déchiffrer les mots les plus difficiles.

Après avoir lu l'histoire

- Parlez ensemble de l'histoire en posant les questions de la page 30 : « As-tu bien compris l'histoire ? »
- Vous pouvez aussi parler ensemble de ses réactions, de son avis, en vous appuyant sur les questions de la page 31 : « Et toi, qu'en penses-tu ? »

Bonne lecture !

Conception de la couverture : Mélissa Chalot
Réalisation de la couverture : Sylvie Fécamp
Maquette intérieure : Mélissa Chalot
Mise en pages : Typo-Virgule
Édition : Ludivine Boulicaut

ISBN : 978-2-01-707618-6
© Hachette Livre 2019.

Achevé d'imprimer en Juin 2020 en Espagne par Unigraf
Dépôt légal : Juillet 2019 - Édition 05 - 72/0789/6

Les personnages de l'histoire

Papa

Le petit bonhomme vert

Sami

Pour préparer la lecture

1. Montre le dessin quand tu entends le son (ê) comme dans for**ê**t.

2. Montre le dessin quand tu entends le son (é) comme dans b**é**b**é**.

3. Lis ces syllabes.

| va | tar | trè | dor | mir | nui |

| vre | pla | bor | ter | dro | for |

4

4 Lis ces mots-outils.

il   dans   est   les   un

puis   sur   très   et   une

5 Lis les mots de l'histoire.

un livre   une planète   un ovni

une météorite   la Lune   un bonhomme

Il est tard,

Sami va dormir.

Papa lit un livre
sur les planètes.

Puis il le borde

et le serre très fort.

Sami dort, il rêve.

Sami vole dans un ovni.

Vite ! Une météorite !

Sami atterrit sur la Lune.

Un petit bonhomme vert
arrive et le salue.

Oh, la météorite a abîmé

l'ovni !

Sami est affolé.

L'ami de Sami

a une idée : il répare

l'ovni.

Sami repart

sur sa planète, la Terre.

Une sonnerie,

le rêve est fini !

Sami dit à Papa le drôle
de rêve : il est allé
sur la Lune !

29

1 Quelle histoire lit Papa ?

2 Qu'est-ce qui abîme l'ovni ?

3 Où atterrit Sami ?

4 Qui répare le vaisseau ?

5 Pourquoi Sami se réveille-t-il ?

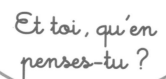

Et toi, qu'en penses-tu ?

Rêves-tu souvent ?

Te souviens-tu de tes rêves ?

Aimerais-tu aller sur la Lune ?

Fais-tu plutôt de jolis rêves ou d'horribles cauchemars ?

Connais-tu le célèbre astronaute Thomas Pesquet ?

As-tu lu tous les Sami et Julie ?

Niveau 1
Début de CP

Niveau 2
Milieu de CP

Niveau 3
Fin de CP

Niveau CE1

hachette
ÉDUCATION